Ti-Croco se dispute

Jean-Loup Craipeau
Pierre Fouillet

Père Castor
Flammarion

– Je suis le plus fort,
dit le petit hippopotame
qui s'appelle Grozipo.
– Non, c'est moi,
dit le petit crocodile
qui s'appelle Ti-Croco.

– Silence ! dit la maîtresse.

Et madame La Girafe
écrit au tableau :

« Ce matin, nous allons nager
dans la mare. »

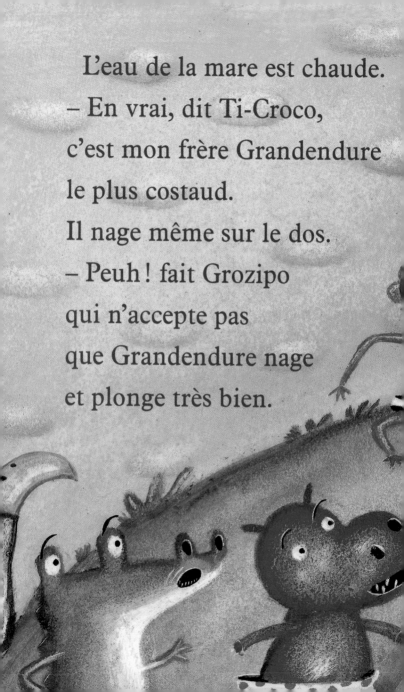

L'eau de la mare est chaude.
– En vrai, dit Ti-Croco,
c'est mon frère Grandendure
le plus costaud.
Il nage même sur le dos.
– Peuh! fait Grozipo
qui n'accepte pas
que Grandendure nage
et plonge très bien.

– Vous savez, dit Lapindingue,
je sais faire la planche.

Et il met ses palmes.

Le gibbon Cocodoux
a peur de l'eau.
Il a peur de tout.
Il n'aime pas la gadoue
ni dans son cou
ni sur ses joues.

Il préfère construire
un château de brindilles
et de cailloux.

– Cocodoux, t'es qu'une fille !
dit Grozipo.

Ti-Croco protège Cocodoux.
Il regarde Grozipo et lui dit :
– Laisse mon ami tranquille !
Toi, t'es pas rigolo !

– Je suis le plus fort !
répète Grozipo. Si je veux,
j'arrive le premier au nénuphar
qui flotte au milieu de la mare !
– C'est ce qu'on va voir !
dit Ti-Croco.
   Et un, deux, trois,
il se jette à l'eau.

Grozipo le poursuit,
le tire, le pousse,
l'enfonce dans l'eau et fonce.
– J'ai gagné ! dit Grozipo.
– T'as triché, crie Ti-Croco.

Quelle bagarre,
au milieu de la mare!

Madame La Girafe appelle
Grandendure à la rescousse :
– Sépare-les, Grandendure !
– On va recommencer la course,
propose Grandendure.
Cette fois, tout le monde
participe. Moi, j'arbitre.

– Très bien, dit la maîtresse.

Tout le monde à l'eau !

Elle donne le départ :

– Un, deux, trois !

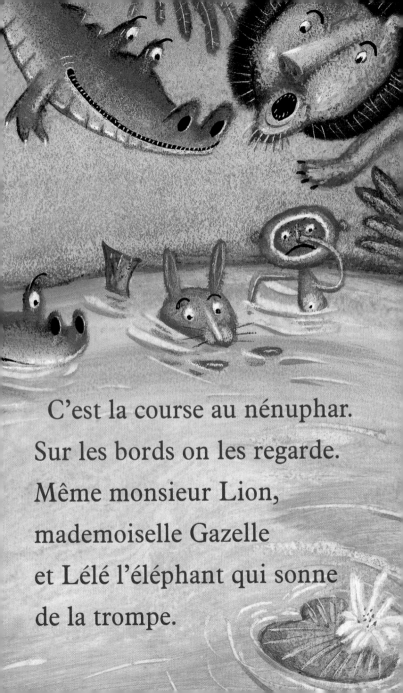

C'est la course au nénuphar.
Sur les bords on les regarde.
Même monsieur Lion,
mademoiselle Gazelle
et Lélé l'éléphant qui sonne
de la trompe.

On dirait que le soleil
a posé sur l'eau
les mille petits yeux jaunes
qui brillent sur la mare
pour les encourager.

Mais
plus les nageurs avancent,
plus le nénuphar s'éloigne.
Ils espèrent toucher la fleur :
la fleur se sauve !

Grozipo râle.

Cocodoux pleure.

Lapindingue mord ses palmes.

Ti-Croco rit.

Il dit qu'il a compris…

Ti-Croco chuchote un secret
à l'oreille de Grandendure.
Grandendure soulève
la feuille de nénuphar.
Et, que voit-il ?

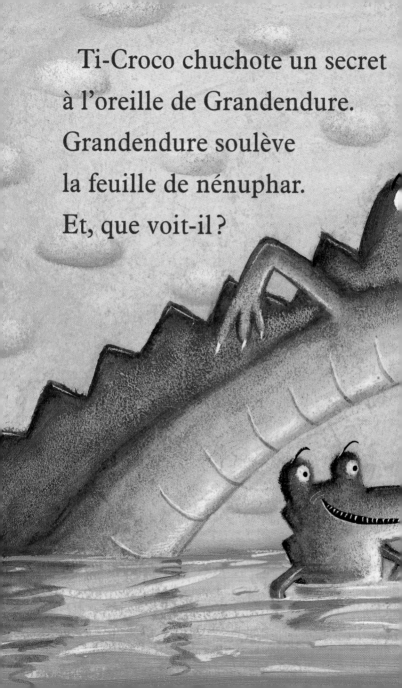

Coa-Coa la grenouille !
Elle était cachée dessous
et faisait avancer la fleur.

Pour récompenser
les efforts des nageurs,
Grandendure fait la planche.
Les amis jouent aux pirates
sur son ventre.

– C'est vrai, dit Grozipo,
ton frère, c'est le plus fort.
– Moi, j'ai déjà oublié
notre dispute, répond Ti-Croco.

Autres titres de la collection

Un Noël tombé du ciel

Teïki est le plus pauvre des pêcheurs de son île. Le soir de Noël, il reçoit pourtant un cadeau inattendu.

La chaussure du géant

Pourquoi le géant met-il une chaussure plus grande que l'autre ? Cela cause bien des ennuis aux villageois...

Le gros chagrin de Bastien

Aujourd'hui Bastien est bien malheureux. Hervé, son meilleur copain, a arraché le bras de Lapinou...

Duvet ne veut pas voler

Il y a un temps pour se laisser bercer et un temps pour apprendre à voler. Mais Duvet refuse de s'élancer...

C'est mon nid!

Un matin de printemps, Loly la lutine trouve un œuf tombé de son nid. Elle l'installe chez elle. L'œuf éclôt...